Les Ballerines Magiques

Le palais endormi

Merci à Linda Chapman

Cet ouvrage a initialement paru en langue anglaise
chez HarperCollins Children's Books sous le titre :
Delphie and the Fairy Godmother

© HarperCollins Publishers Ltd. 2008 pour le texte et les illustrations
Illustrations de Katie May

L'auteur/l'illustrateur déclare détenir les droits moraux
sur cette œuvre en tant qu'auteur/illustrateur de cette œuvre.

© Hachette Livre 2009 pour la présente édition

Adapté de l'anglais par Natacha Godeau

Colorisation des illustrations et conception graphique : Lorette Mayon

Hachette Livre, 43 quai de Grenelle, 75015 Paris

Darcey Bussell

Les Ballerines Magiques

Le palais endormi

hachette
JEUNESSE

Voici Daphné Beaujour

Elle vit des aventures extraordinaires !
Pourtant, elle n'a que neuf ans.
Sa passion, c'est la danse classique.
Elle rêve de devenir danseuse étoile…
Un jour, son professeur lui confie une paire
de chaussons magiques : ils ont le pouvoir
de la transporter à Enchantia, le monde
des ballets ! À elle maintenant de protéger
le royaume enchanté de tous les dangers…

À l'école de danse

Le *Cours de Danse*
de Madame Zarakova est
une école extraordinaire.
Daphné s'en rend
vite compte !

Madame Zarakova,
qu'on appelle
Madame Zaza,
est mystérieuse, et connaît
de fabuleux secrets !

Tiphaine et Julie sont
les meilleures amies
de Daphné.
Mais elles ne savent
rien d'Enchantia…

Giselle considère Daphné
comme sa rivale car, sans elle,
elle serait l'élève la plus douée
du cours !

Les habitants d'Enchantia

Le Roi Tristan, son épouse la Reine Isabella
et leur fille la belle Princesse Aurélia
vivent au palais royal,
un magnifique château de marbre blanc.

La Fée Dragée aide
Daphné à veiller
sur Enchantia.
D'un coup de baguette
magique, elle peut réaliser
les tours les plus
fantastiques.

Le Roi Souris déteste la danse.
Il habite un sombre château,
sur la montagne, avec sa cruelle armée.
Il n'a qu'un but dans la vie :
chasser le bonheur d'Enchantia.

Un pied en avant, la tête penchée,
Daphné attend que la musique
commence. Elle admire ses chaussons
rouges. Les autres élèves du cours
en portent des roses. Mais les siens sont
spéciaux. C'est Madame Zarakova,
son nouveau professeur, qui les lui a
confiés. Et Daphné a vite percé
leur secret : ils sont magiques ! Dès que
c'est nécessaire, ils la conduisent
à Enchantia, le monde des ballets.
Car la jeune Daphné est chargée
d'empêcher le cruel Roi Souris
de bannir la danse du royaume
enchanté…

1. La nouvelle élève

Daphné se dépêche. Elle arrive toujours en avance au cours de danse, pour s'échauffer tranquillement. Quelle chance d'avoir Madame Zaza pour professeur ! Avant, Daphné passait chaque jour devant l'école. Elle enviait

beaucoup les élèves. Et depuis six mois, elle prend enfin des leçons, elle aussi !

« Madame Zaza est si extraordinaire ! » pense Daphné en poussant la porte en bois du cours de danse.

Il faut dire qu'elles partagent un secret, toutes les deux : Enchantia, le royaume des ballets. Quand elle était jeune, Madame Zaza allait souvent là-bas. Aujourd'hui, c'est au tour de Daphné !

« J'ai hâte que les chaussons magiques m'y remmènent ! » se dit la fillette tandis qu'elle entre dans le vestiaire.

12

Elle court jusqu'au banc et s'arrête brusquement. La nouvelle élève est déjà là.

Elle s'appelle Rose. Ça fait une semaine qu'elle vient chez Madame Zaza. Elle est très jolie, avec ses yeux bleus et ses cheveux blonds ondulés. Mais le problème

avec elle, c'est qu'elle ne parle à personne ! Elle est très solitaire. Et cet après-midi, elle ne regarde même pas Daphné qui s'assoit près d'elle pour se préparer...

— Bonjour, Rose !

Daphné veut se montrer amicale. Mais Rose baisse la tête et commence à nouer les rubans de ses chaussons. Daphné n'aime pas ça. D'habitude, les élèves se changent en bavardant gaiement. Elle insiste :

— On voit que tu as déjà appris à danser, avant de venir ici.

— Un peu, répond tout bas la nouvelle.

Daphné continue, ravie :

— Tu réussis très bien les *jetés*, Rose !

— Oui mais toi, tu les rates tout le temps…

— Ce n'est pas vrai ! s'écrie Daphné, vexée.

Sans un mot, Rose sort en vitesse du vestiaire. Daphné est rouge de colère.

«J'essayais d'être gentille! Elle exagère!»

Parce que d'accord, Daphné a du mal avec les *jetés*. Mais elle est très douée dans des tas d'autres mouvements!

— Pourquoi est-ce que Rose est si désagréable? murmure la fillette en finissant d'attacher ses longs cheveux bruns.

Elle préfère ne plus y penser. Maintenant qu'elle est prête, autant se concentrer sur le plus important: la danse!

Daphné se rend à la salle de cours. Par la porte vitrée, elle aperçoit Rose qui s'entraîne au

pas de chat. Daphné adore cette figure où on saute souplement d'un pied sur l'autre : elle l'effectue sans erreur. Rose, elle, se trompe. Elle a beau s'appliquer, elle n'y arrive jamais.

« Elle doit replier le genou gauche *avant* que le pied droit retombe à terre, pas *après* ! » se dit Daphné.

D'un côté, elle a bien envie d'entrer le lui expliquer. Mais en même temps, elle n'a aucune raison d'aider une élève aussi désagréable que cette Rose !

« Après tout, qu'elle se débrouille… puisqu'elle fait tout mieux que tout le monde ! »

Daphné tourne les talons. Elle se dirige vers l'autre salle de cours et croise Madame Zaza, dans le couloir.

— Bonjour, Madame Zaza !

— Bonjour, Daphné. Rose est arrivée avec une demi-heure d'avance, aujourd'hui. Vous ne vous échauffez pas ensemble ?

La fillette est un peu gênée.

— Heu… Non…

La directrice la fixe d'un œil sévère.

— Ne te fie pas aux apparences, Daphné Beaujour. On a tous droit à une deuxième chance, tu devrais le savoir.

Elle s'éloigne. Daphné soupire.

Elle déteste décevoir Madame Zaza. Pourtant, c'est Rose, la méchante, dans cette histoire !

À moins qu'elle ne le fasse pas exprès ? Après tout, Rose est la plus jeune de l'école. Et Tiphaine et Julie, les deux meilleures amies de Daphné, prétendent qu'elle est très timide. Daphné ne sait plus quoi penser. Elle retourne à la première salle de cours. Elle hésite à entrer…

… Quand ses vieux chaussons rouges commencent à briller comme des rubis !

2. Trop de ronces !

Le cœur de Daphné s'emballe : ça y est, on a besoin d'elle à Enchantia !

Un frisson remonte le long de ses mollets, et ses chaussons se mettent à danser. Ils entraînent la fillette qui pirouette dans les

airs. Elle tourne vite, tout devient flou autour d'elle. Une brume multicolore tourbillonne et…

Pof! Daphné atterrit tout près d'un bois de ronces.

« Bizarre, s'étonne-t-elle. Normalement, mes chaussons magiques me conduisent dans des endroits plus accueillants ! »

Elle ne reconnaît pas du tout le royaume des ballets. En plus, il n'y a personne !

« Je me demande bien qui je dois aider, cette fois ? »

Elle appelle :

— Il y a quelqu'un ?

Pas de réponse. Elle décide de s'enfoncer dans le bois. Il lui faut du courage ! Les ronces s'agrippent à son chignon, elle trébuche sur des racines noires... Le pire, c'est le silence. On n'entend rien. Même pas un chant d'oiseau ! Tant pis. Daphné continue d'avancer. Mais, tout à coup, elle s'arrête. Les buissons d'épi-

nes sont devenus si épais qu'ils l'empêchent de passer !

— Oh là là ! Qu'est-ce que je vais bien pouvoir faire ? gémit la fillette.

Elle s'assoit sur une vieille souche. Une petite note de musique cristalline résonne dans son dos. Daphné se retourne, intriguée. Un nuage de poussière d'étoile prend forme et, bientôt, une merveilleuse ballerine apparaît ! Elle porte un tutu violet, un body scintillant, et ses beaux cheveux noirs sont relevés dans une fine couronne en diamant. Elle se tient bien droite sur les *pointes,*

avec une baguette magique à la main. Le plus surprenant, ce sont ses ailes transparentes, qui brillent de reflets arc-en-ciel… de *vraies* ailes !

— Daphné! Enfin te voilà! Je suis bien contente!

La fillette sourit, amusée.

— Oui, moi aussi. Mais qui êtes-vous?

— La Fée Lilas, du ballet *La Belle au Bois Dormant*, de Tchaïkovski! Je suis l'une des marraines de la Princesse Aurélia. C'est elle qui m'a parlé de toi. Et mon amie la Fée Dragée aussi!

— Justement, dit Daphné. Où elle est, la Fée Dragée?

— Au palais royal. C'est affreux, il est entièrement recouvert de ronces! Il est caché derrière ce buisson d'épines qui

t'empêche de passer. Tout le monde, là-bas, est plongé dans un profond sommeil !

Daphné écarquille les yeux. Bien sûr, c'est la malédiction de la Belle au Bois Dormant !

— Il faut que le Prince éveille la Princesse par un baiser

d'amour pour sauver le palais. C'est ça, Fée Lilas ?

— Exactement ! Le Roi Tristan et la Reine Isabella n'ont pas invité la Méchante Fée au baptême d'Aurélia. Pour se venger, elle a jeté un mauvais sort à la Princesse. Elle a prédit que le jour de son seizième anniversaire, Aurélia se piquerait le doigt sur l'aiguille d'un fuseau et qu'elle tomberait dans un sommeil de cent ans !

Elle pousse un gros soupir.

— Et je n'ai pas pu annuler le sortilège…

— Mais vous avez réussi à

l'améliorer, devine Daphné. Aurélia pourra quand même se réveiller si son Prince l'embrasse.

La Fée Lilas hoche la tête. Elle est furieuse.

— Sans le Roi Souris, Aurélia ne se serait jamais piqué le doigt !

— Le Roi Souris ? J'aurais dû m'en douter !

Il est tellement horrible, avec ses petits yeux cruels et ses crocs pointus… Il ne pense qu'à gâcher le bonheur des habitants d'Enchantia !

La fée continue :

— Le Roi Tristan a ordonné qu'on détruise tous les fuseaux du royaume. Mais grâce à sa magie très puissante, le Roi Souris a gardé le sien. Et hier, pour ses seize ans, Aurélia a reçu un cadeau particulier…

— Je crois que je sais ce que c'est, souffle Daphné.

— Regarde !

D'un coup de baguette magi-

que, la Fée Lilas lui montre ce qui s'est passé à l'anniversaire de la Princesse…

Aurélia danse dans sa nouvelle robe rose. Ses parents et la Fée Dragée applaudissent en riant. Il y a beaucoup d'invités et beaucoup de cadeaux ! Aurélia déballe le plus gros. C'est un rouet pour filer la laine. Elle approche la main du fuseau. Tout le monde crie mais trop tard : Aurélia se pique le doigt et tombe endormie. Le sort jeté par la Méchante Fée s'est accompli ! Le Roi Tristan et la Reine Isabella sont désespérés…

— Le Roi Souris est un monstre ! lance Daphné.

La Fée Lilas pousse un soupir.

—Ils étaient tous si tristes que je les ai endormis avec la Princesse. Y

32

compris le bois ! Comme ça, si Aurélia se réveille, rien n'aura changé autour d'elle…

— Pourquoi : *si* elle se réveille ?

— Le Prince est introuvable ! murmure la fée. Je l'ai cherché partout, même au château du Roi Souris. Mais tout est désert. Les portes et les volets sont fermés à double tour.

Daphné fronce les sourcils.

— C'est bizarre… Repartons vite chez le Roi Souris. Ensemble, on découvrira bien un indice, surtout si le Roi est absent.

— Alors, en route !

3. Piège à souris

La Fée Lilas virevolte avec Daphné. Puis elle agite sa baguette magique. Un nuage de poussière d'étoile les enveloppe et…

Pof ! Elles atterrissent à la sortie de la Forêt Enchantée, tout près du château du Roi Souris. Son

sombre donjon s'élève haut vers le ciel. Daphné en a des frissons dans le dos! Cet endroit est chaque fois plus effrayant!

—Je ne peux pas m'approcher plus, s'excuse la fée.

Daphné le sait déjà! La Fée Dragée n'a jamais pu entrer par magie dans le château, elle non plus. Les pouvoirs du Roi sont trop immenses!

Elles traversent la clairière et arrivent sans problème au pied des remparts. Elles réfléchissent à un moyen d'ouvrir la porte verrouillée, lorsqu'une voix appelle du donjon:

— Au secours ! Pauvre de moi, je suis enfermé !

Vite, elles contournent l'enceinte du château. Elles lèvent les yeux vers la tour. Daphné retient un cri : le Roi Souris est à la plus haute fenêtre ! Sa couronne,

posée de travers sur sa tête, est
recouverte de toiles d'araignée…
Ça alors !

Le Roi Souris qui se retrouve prisonnier dans son propre donjon… D'habitude, c'est plutôt lui qui piège les autres !

— Encore toi ! rugit-il, fou de colère, en apercevant la fillette. Qu'est-ce que tu attends pour me sortir de là ?

Daphné hésite. Au moins, dans la tour, il ne leur fera aucun mal !

— Délivrez-moi, nom d'un rat ! s'impatiente le Roi.

— Il ne fallait pas envoyer le fuseau à Aurélia ! répond-elle alors, les poings sur les hanches.

— Je n'ai rien envoyé du tout !

— Menteur !

— Archi-menteur ! insiste la Fée Lilas.

— Mais c'est la vérité ! Faites-moi sortir, et je vous raconterai tout !

— Non ! Vous nous racontez *d'abord*, exige Daphné, méfiante.

Le Roi Souris n'a pas le choix.

— C'est la Méchante Fée, la coupable, explique-t-il. Je la

déteste ! Elle a kidnappé deux de mes cousins et elle les oblige à tirer son carrosse. Quand elle a voulu emprunter mon rouet, je n'ai pas accepté. Elle s'est mise dans une de ces fureurs ! Elle a *osé* utiliser sa magie contre moi !

— Impossible. Pas dans votre château.

— Impossible pour ces idiotes de gentilles fées en tutu scintillant, Daphné. Mais la Méchante Fée, avec sa baguette noire, a autant de pouvoir que moi !

— C'est vrai, confirme la Fée Lilas. Elle est la plus puissante magicienne du royaume.

— Et elle m'a enfermé dans mon propre donjon ! Cette sorcière a envoyé mon armée à l'autre bout d'Enchantia, elle a volé mon fuseau, et elle a verrouillé toutes les issues du château !

Le Roi Souris grince des dents à ce souvenir. Il ajoute :

— J'ai un marché à te proposer, Daphné. Sors-moi de prison, en échange je t'aide à retrouver le Prince.

— L'amoureux d'Aurélia ?

— Lui-même, répond le Roi. Parce que *moi*, je sais ce qui lui est arrivé…

4. Trahison !

Le Roi Souris lisse sa mousta-
che luisante d'un air satisfait.

— Oui, je peux vous conduire
au Prince… à condition de me
délivrer !

Cette idée ne plaît pas du tout
à Daphné ! Mais la Fée Lilas mur-

mure à son oreille :

— Il a raison. On a besoin de ses pouvoirs magiques pour affronter la Méchante Fée.

— On ne peut pas lui faire confiance, proteste la fillette. Il invente peut-être n'importe quoi…

— Comme si je m'étais emprisonné moi-même ! crie le Roi.

Daphné réfléchit. Alors, pour une fois, le Roi Souris ne serait pour rien dans les problèmes d'Enchantia ? C'est difficile à croire !

« J'aimerais tant savoir quoi faire ! »

Soudain, elle se rappelle le conseil de Madame Zaza : *On a tous droit à une seconde chance.* Après tout, si le Roi ne ment pas, il serait injuste de ne pas l'aider.

— Très bien, Fée Lilas. Libérons-le. Mais il doit nous promettre de retrouver le Prince avec nous !

— Promis, juré, craché !

Seulement, la fée s'inquiète. Comment sortir le Roi Souris du donjon ?

— Tu as un plan, Daphné ?

— D'abord, il faut que le Roi annule le sortilège qui empêche la bonne magie d'agir sur ses terres.

Le Roi Souris s'empresse de réciter une formule à voix basse. Puis Daphné reprend :

— Faites apparaître une lon-

gue corde à la fenêtre de la tour, Fée Lilas. Le Roi n'aura qu'à descendre par là !

— Je suis désolée, c'est la Fée Dragée qui peut faire apparaître des objets. Moi, je peux modifier un sort, ou faire don d'une qualité !

— Inutile ! se vante le Roi Souris. Je les possède déjà toutes !

Daphné hausse les épaules.

—Je sais, Fée Lilas : inversez le sort de la Méchante Fée en déverrouillant les portes du château !

— Ce n'est pas une mauvaise idée, admet le Roi. Tu es moins bête que tu en as l'air !

La fillette préfère l'ignorer. Elle a plus urgent à régler !

— Ma magie est celle de la danse, dit la fée. Danse avec moi, Daphné, elle sera plus efficace !

— Danser ! Quelle horreur ! s'écrie le Roi Souris.

Il ferme les yeux pour ne pas voir ça ! La Fée Lilas se dresse sur les *pointes*. Elle agite sa baguette, et une douce mélodie s'élève. Une valse ! Elle commence à danser. Daphné observe les pas.

Jambe gauche en arrière, bras ouverts avec grâce, virevolter sur la *pointe* droite et retomber sur la gauche. Pirouetter à nouveau et bondir trois fois en avant.

Daphné panique :

— Je n'y arriverai jamais !

— Tatata ! Si tu danses de tout ton cœur, la magie opérera !

La Fée Lilas la prend par la main et l'entraîne dans la valse. Daphné se laisse envahir par la musique légère. Elle oublie ses craintes et pirouette, saute, virevolte sur les *demi-pointes* !

Enfin, la fée récite :

— *Que le sortilège de la Méchante Fée soit levé ! Ouvrez-vous, portes et fenêtres, que l'Altesse enfermée file en vitesse !*

Un petit *clic* résonne dans la serrure du donjon. Daphné appuie sur la poignée et...

— Hourra ! C'est ouvert !

Aussitôt, on entend le Roi Souris galoper dans l'escalier. Il

descend, descend de la tour. Il surgit à la porte et détale vers la forêt en riant :

— Je suis libre ! Salut la compagnie !

Le traître ! Il ne respecte pas sa promesse !

5. Chez la Méchante Fée

Daphné s'élance à la poursuite du Roi Souris. Il se moque en courant :

— Tu as cru que je tiendrais parole ? Ah ! Ah ! Tu es trop naïve !

Il est si occupé à rire et se pavaner qu'il ne regarde pas devant

lui… Et se cogne contre un tronc d'arbre !

Aïe ! Il roule dans l'herbe. Daphné saute sur sa cape, pour l'empêcher de se relever. Il se tortille, il veut s'en aller.

— Laisse-moi partir !

— Pas question ! Une promesse est une promesse.

La Fée Lilas arrive à son tour. Elle agite sa baguette magique et avertit :

— Il faut nous aider, Roi Souris, sinon je…

— Sinon quoi ? Tu me fais don de la richesse ? Ouh là là, j'ai peur !

54

— Non, de la beauté ! dit Daphné avec un petit sourire. De la beauté « à la façon des fées » !

Le regard saphir de la Fée Lilas se met à briller.

— J'ai compris ! Tu penses à *ça*, n'est-ce pas ?

Et, dans un nuage de poussière d'étoile, elle fait apparaître l'image du Roi Souris beau « à la façon des fées ». Il a de longs cheveux blonds, de grands cils soyeux, le museau relevé en trompette, et un doux sourire de princesse.

— Pitié ! hurle le Roi, par terre. Je ne veux pas avoir cet air idiot ! Je ferai tout ce que vous voudrez !

— Comme nous conduire auprès du Prince ?

— Il est chez la Méchante Fée. Elle le retient prisonnier dans ses écuries.

— Il faut vite partir là-bas, dans ce cas !

La Fée Lilas brandit sa baguette et…

Pof! Ils atterrissent derrière un
fourré, près d'un château fort de
pierre grise. Des drapeaux noirs
décorés de gros crapauds flottent
au sommet pointu de chaque
tour. Daphné en a la chair de
poule !

De loin, ils repèrent les écuries. Mais soudain, ils entendent une voiture qui approche, sur le chemin.

— Restons cachés, souffle Daphné.

Un carrosse passe en trombe devant eux. Deux souris géantes

y sont attelées. Une fée très grande et très laide tient les rênes. Elle a de vilains cheveux gris, des verrues sur le visage, une robe noire, une longue cape verte. Et une grande baguette magique en bois d'ébène à la main !

— Plus vite ! Plus vite !

Elle gronde les souris.

— La Méchante Fée, murmure Daphné.

— Mes pauvres cousins ! gémit le Roi Souris. Ils ne peuvent pas s'enfuir, ils sont ensorcelés. D'un coup de baguette magique, elle a noué leur queue à l'avant du carrosse !

La Méchante Fée tire fort sur les rênes pour les faire stopper au pied du château. Ils s'écroulent, hors d'haleine. Dans les écuries, quelqu'un se met à tambouriner à la porte d'un box. C'est le Prince !

— Tais-toi, prisonnier !

La Méchante Fée descend du carrosse. Elle s'approche des souris épuisées.

— Quel attelage de bons à rien ! Vous méritez une punition !

Elle s'apprête à leur marcher sur les pattes. Daphné surgit du fourré en criant :

— Arrêtez ! C'est trop cruel !

La Méchante Fée se retourne.

— Qui es-tu, toi ? Ah oui, la sale gamine aux chaussons rouges… Celle qui s'occupe tout le temps de ce qui ne la regarde pas !

Elle fronce les sourcils.

— Tu viens sans doute délivrer le Prince… Eh bien, n'y compte pas, ma mignonne. Car je vais te transformer en statue !

Elle agite sa baguette noire :

— *À l'instant même deviens pierre, tu ne te mêleras plus de mes affaires !*

Et *zap !* un éclair vert fonce droit sur Daphné !

6. Vive la liberté !

Vite, le Roi Souris forme une boule d'énergie entre ses pattes. Il l'envoie contre l'éclair maléfique qui explose en plein vol dans une pluie d'étincelles… juste avant d'atteindre Daphné.

— Roi Souris ! Merci, vous

m'avez sauvée!

La fillette n'aurait jamais cru ça! La Méchante Fée non plus, d'ailleurs.

— Tu le regretteras, Roi Souris! Vous le regretterez *tous*!

Elle brandit sa baguette noire. Tout le monde recule. Elle les menace de sa voix aiguë:

— Toi d'abord, Roi Souris ! Tu vas rejoindre tes cousins paresseux à la tête de mon attelage !

— Pas question !

— Oh que si ! Tu as dépensé trop de force magique pour empêcher mon sortilège. Tu tireras mon carrosse pour l'éternité, ça va beaucoup m'amuser !

Daphné s'affole. Comment aider le Roi Souris, maintenant ? La Fée Lilas n'a pas le pouvoir de combattre la Méchante Fée. À moins que…

— Fée Lilas ! Puisque vous savez modifier les sorts, changez celui des cousins du Roi Souris.

Attachez-les à la Méchante Fée au lieu du carrosse !

— D'accord, danse avec moi !

La fée agite sa baguette. La musique de la valse résonne dans le lointain.

— Qu'est-ce que vous manigancez encore ? gronde la sorcière.

Daphné et la Fée Lilas pirouettent, sautent, virevoltent en vitesse. Enfin, la fée récite :

— *Que ton sortilège soit levé ! Que les souris kidnappées préfèrent au carrosse tes poignets !*

Un nuage de poussière violette enveloppe alors la Méchante Fée.

Quand il disparaît, les souris sont attachées à elle. Elles courent en l'entraînant derrière elles !

— Non ! Stop ! Pitié !

— Bien fait !

Le Roi Souris est ravi. Quelle belle vengeance ! Mais la Méchante Fée se dépêche de se libérer :

— *À cet instant précis, je le déclare, ne soyez plus mes esclaves et filez dare-dare !*

Les queues des souris se dénouent tout à coup de ses bras. Sous le choc, elle lâche sa longue baguette magique. Par chance, la Fée Lilas la récupère avant elle !

Le Roi Souris court vers la sorcière :

— Tu as ensorcelé ma famille !
Tu vas me le payer !

La Méchante Fée fonce s'abriter dans un box des écuries.

Erreur ! Car le Roi Souris claque la porte et verrouille le loquet !

— À ton tour d'être enfermée dans ton propre château !

Puis il part réconforter ses cousins, au bord du chemin. Daphné s'inquiète :

— La Méchante Fée va s'échapper !

— Ça m'étonnerait, rit la Fée Lilas. La magie d'Enchantia provient soit de la danse, soit de nos baguettes féeriques. Regarde : j'ai réussi à lui prendre la sienne. Et cette vieille sorcière est la pire danseuse de l'univers !

Elles éclatent de rire. Après

tout, la Méchante Fée a bien mérité une petite punition !

— Je reviendrai lui ouvrir dès qu'Aurélia sera réveillée, promet la Fée Lilas. À présent, délivrons le Prince.

Elles soulèvent le loquet du box du prisonnier et le Prince sort en vitesse, bien content. Il est très beau garçon, mais ses vêtements sont froissés et pleins de paille !

— Rentrez au palais royal avec nous pour annuler le sortilège d'Aurélia, lui demande Daphné.

Il s'incline en souriant.

— Prince Belami à votre ser-

vice, mademoiselle. Je suis très honoré de faire votre connaiss…

— On n'a pas une minute à perdre ! coupe la Fée Lilas.

Justement, le Roi Souris accourt vers elles.

— Et moi ? C'est fini, je peux m'en aller ? Mes cousins m'invitent à dîner !

— Oui, et merci de nous avoir aidées, répond Daphné.

— Peuh ! Vous m'y avez *obligé* !

Mais il n'a pas l'air vraiment fâché, Daphné le voit bien !

— Vous venez assister au réveil d'Aurélia ? lui propose-t-elle. Il y aura un grand bal, pour fêter ça !

Le Roi Souris grimace.

— Beurk ! Je hais la danse ! Un jour, je trouverai un moyen de la bannir du royaume !

Et il détale en grognant. Daphné a envie de rire. Il a été gentil, en l'empêchant de devenir une statue. Mais il n'a pas changé pour autant !

7. Les fiançailles

La Fée Lilas agite sa baguette et…

Pof! Ils atterrissent dans la chambre de la Princesse Aurélia. La jeune fille est allongée sur son lit. Elle dort profondément. Tout comme la Reine Isabella, à côté

d'elle. Et le Roi Tristan, dans le fauteuil.

Daphné jette un coup d'œil par la fenêtre. Dans la cour du palais, les gardes, les serviteurs sont endormis aussi.

— Comme elle est belle ! murmure le Prince Belami en avançant vers la Princesse.

— Eh bien qu'est-ce que vous attendez ? Embrassez-la !

La Fée Lilas est pressée de briser le mauvais sort! Le Prince se penche sur sa bien-aimée et dépose un baiser délicat sur ses lèvres. Daphné est angoissée: et si ça ratait?

Mais Aurélia cligne des paupières. Elle ouvre les yeux, bâille, s'étire.

— Mon Prince! C'est bien vous? Je ne rêve pas?

— Non, Aurélia, vous ne rêvez pas. Vous êtes sauvée!

Il la serre dans ses bras. Daphné et la Fée Lilas échangent un regard de triomphe. Surtout que le Roi et la Reine s'éveillent

également. Ainsi que les gardes, les serviteurs, et tout le palais !

— Youpi ! On a réussi !

La Princesse se lève. Elle est resplendissante, dans sa robe d'anniversaire. Le Prince Belami lui prend la main. Il pose un genou à terre et déclare :

— Ma bien-aimée, voulez-vous m'épouser ?

— Oh oui, je le veux !

— Nom d'une couronne ! s'écrie la Reine Isabella. Notre fille se marie, Tristan !

Le palais royal est en effervescence. Il faut fêter les fiançailles

d'Aurélia et Belami. L'après-midi
même, les souverains donnent
une réception en l'honneur de
leur fille. Le banquet est somp-
tueux. L'orchestre joue sans arrêt.
On se régale, on danse, on rit ! La
Princesse embrasse Daphné.

— C'est le plus beau jour de ma vie ! Merci d'avoir amené mon Prince !

— Mission accomplie, Daphné. Bravo !

La Fée Dragée est fière de la fillette. Cette fois, elle s'est même débrouillée sans elle ! La Fée Lilas leur a tout raconté.

— Dire que le Roi Souris t'a aidée, remarque Aurélia. C'est incroyable !

— Il m'a protégée, précise Daphné. Sans lui, je serais devenue une statue !

La Princesse hoche la tête.

— Je l'inviterai au mariage. Il

finira peut-être par reconnaître qu'il n'existe rien de plus merveilleux que la danse.

— Bien dit, Aurélia !

Et le Prince Belami entraîne sa fiancée dans une tendre valse. Daphné, la Fée Lilas et la Fée Dragée les rejoignent sur la piste. On glisse, virevolte, sautille. On se sépare, on tourne, on change de partenaire, on se reprend par les mains. C'est très gai ! À Enchantia, on sait vraiment s'amuser. Même après une terrible mais fabuleuse aventure ! Soudain, les orteils de Daphné la picotent. Ses chaussons rouges scintillent à ses pieds.

C'est le signal de départ. Déjà?
Daphné soupire:

— Je dois rentrer chez moi. Au revoir, tout le monde!

— À bientôt, Daphné. Et encore merci!

La fillette pirouette vite, de plus en plus vite. Une brume multicolore tourbillonne autour d'elle et…

Pof! elle atterrit à la porte de la salle de danse, à l'école de Madame Zaza. Elle se retrouve pile au moment où elle était partie. Le temps ne s'écoule pas de la même façon, à Enchantia. Heureusement!

Par la vitre, elle aperçoit Rose. Elle répète le *pas de chat*. Rose lève alors la tête. En voyant Daphné, elle rougit. Daphné se demande si elle doit entrer…

8. La réconciliation

« Et si je m'étais trompée, sur Rose ? » pense Daphné.

Les personnes timides ont souvent un comportement un peu étrange. Et puis, il ne faut jamais juger trop vite. Même le Roi Souris a réussi à étonner la fil-

lette, aujourd'hui !

Daphné prend une profonde inspiration. Elle entre dans la salle de danse.

— Écoute, Rose, je voudrais…

— Pardon, Daphné ! s'écrie la fillette.

Elle se tord les mains et fixe le sol en murmurant :

— Je ne voulais pas être méchante, dans les vestiaires. C'est juste que je suis très maladroite. J'aurais dû m'excuser, mais j'avais trop honte pour rester après ce que je t'avais dit.

— Ce n'est pas grave.

— Si, c'est grave ! Parce que je ne voulais pas dire que tu étais nulle en *jetés*. Je voulais te proposer de t'aider. Seulement, tu t'es mise en colère. En plus, tu danses tellement mieux que moi… Tu n'as pas besoin de mes conseils !

Daphné sourit. Ouf ! Cette dispute n'était qu'un stupide malentendu !

— Au contraire, Rose ! Toi, tu réussis les *jetés* et j'aimerais que tu m'apprennes. Je regrette de m'être fâchée. Parfois, j'ai un sale caractère !

Rose relève la tête. Elle n'arrive pas à y croire ! Daphné ajoute :

— On peut s'entraider ? Je sais ce qui ne va pas, avec ton *pas de chat*. Il faut replier le genou *avant* que l'autre pied droit ne retombe par terre. Comme ça !

Elle exécute une démonstration parfaite. Rose l'imite et s'améliore petit à petit.

— Maintenant, à ton tour, Rose. J'aimerais bien que tu

m'expliques ce qui cloche avec mes *jetés* !

Daphné s'applique et bientôt, elle en réussit un !

— On a encore du temps, avant la leçon, dit-elle à Rose. J'ai

appris une danse du ballet *La Belle au Bois Dormant*. Tu veux qu'on s'entraîne?

— Oh oui, Daphné!

—Je te montre les pas, et après on y va !

Rose retient sans problème la chorégraphie. Daphné enclenche la lecture du CD. Elle choisit le morceau du bal de *La Belle au Bois Dormant,* et les deux nouvelles amies valsent, virevoltent, sautillent à travers la pièce. Elles font quelques faux pas, bien sûr. Mais elles dansent de tout leur cœur !

En passant devant la porte vitrée, Daphné remarque Madame Zaza, qui les regarde.

« On a tous droit à une deuxième chance ! » se rappelle la fillette.

Et comme si elle devinait ses pensées, Madame Zaza lui sourit d'un air ravi !

Les chaussons de Daphné brillent…

Pof ! Une nouvelle aventure commence
dans le monde des ballets :
Le secret d'Enchantia

Rien ne va plus au royaume enchanté !
Le Roi Souris a jeté un sort au Prince Belami :
il ne veut plus épouser Aurélia…
Vite, Daphné doit trouver une solution
pour annuler l'affreux sortilège !

Les Ballerines Magiques

Invitation !

Je t'invite à partager mes prochains voyages et ceux de Rose
à Enchantia, le monde merveilleux des ballets !

1. Daphné au
royaume enchanté

2. Le sortilège
des neiges

3. Le grand
bal masqué

4. Le bal
de Cendrillon

6. Le secret
d'Enchantia

Voyages
à Enchantia

7. Rose au pays
des ballets

8. L'oiseau
fabuleux

9. La pierre
royale

10. Le sortilège
des mers

11. La prisonnière
du château

12. Le vœu de
Rose

13. Daphné et le
voyage féérique

14. Le Noël magique
de Daphné

Comme Daphné, tu adores la danse ?
Alors voilà un petit cadeau pour toi...

Darcey Bussell est une célèbre
danseuse étoile. Tourne vite la page,
et découvre la leçon de danse exclusive
qu'elle t'a préparée !

Ma petite méthode de danse

Le Tour Simple

Ce mouvement est très facile. Il convient à toutes les chorégraphies. Comme à celle du réveil de la Belle au Bois Dormant, par exemple !

1.
Place-toi en Position de Repos*, les bras relâchés, la tête baissée.

2.
Talons joints, relève lentement les bras au-dessus de toi, tout en redressant la tête.

* Tu trouveras les six positions de base dans le tome 1 des Ballerines Magiques.

3.

Plie les coudes au niveau
des yeux, frotte
tes paupières comme si
tu t'éveillais.

4.

Ouvre les bras, monte
sur la demi-pointe et fais
un tour complet,
la tête bien droite.

Table

PAPIER À BASE DE
FIBRES CERTIFIÉES

hachette s'engage pour
l'environnement en réduisant
l'empreinte carbone de ses livres.
Celle de cet exemplaire est de :
350 g éq. CO$_2$
Rendez-vous sur
www.hachette-durable.fr

Imprimé en Espagne par CAYFOSA
Dépôt légal : juin 2009
Achevé d'imprimer : avril 2013
201841.4/07 – ISBN 978-2-01-201841-9
Loi n° 49-956 du 16 juillet 1949
sur les publications destinées à la jeunesse